TODO SALAMANCA
Y SU PROVINCIA

Editorial Escudo de Oro, S.A.

Vista general de Salamanca, según un grabado antiguo.

SALAMANCA, FARO DE CULTURA

Bañada por las ilustres aguas del Tormes, en tierras próximas a Portugal, Salamanca se ofrece a la vista como un hito clásico. Así la cantó en bellos versos el poeta Garcilaso:

> *En la ribera verde y deleitosa*
> *del sacro Tormes, dulce y claro río,*
> *hay una vega grande y espaciosa,*
> *verde en el medio del invierno frío,*
> *en el otoño verde y primavera,*
> *verde en la fuerza del ardiente estío.*
> *Levántase al fin della una ladera*
> *con proporción graciosa en el altura,*
> *que sojuzga la vega y la ribera.*

> *Allí está sobrepuesta la espesura*
> *de las hermosas torres, levantadas*
> *al cielo con extraña hermosura.*
> *No tanto por la fábrica estimadas,*
> *aunque extraña labor allí se vea,*
> *cuanto de sus señores ensalzadas.*
> *Allí se halla lo que se desea:*
> *virtud, linaje, haber y todo cuanto*
> *bien de natura o de fortuna sea.*

Ciudad-faro de cultura, en cuya famosa Universidad enseñaron sus saberes Fray Luis de León y don Miguel de Unamuno y cursaron estudios mayores los castellanos más ilustres del Siglo de Oro. Salamanca puede alardear de un insigne pasado histórico. Parece ser que su origen es uno de los más antiguos de todas las ciudades españolas. Entre los primeros habitantes de las tierras salmantinas se cita a los ligures. Tras la llegada de los celtas, parece ser que, hacia el siglo III a. J.C., se había sedimentado una civilización de raíz ibérica. Pero el nombre de la ciudad empieza a sonar cuando la antigua *Salmantica* fue conquistada —después de un largo asedio— el año 217 antes de Jesucristo por las tropas cartaginesas de Aníbal.

Salamanca se convirtió en municipio bajo la dominación romana, perteneciendo a la Lusitania. Quedan como recuerdo de aquella época el puente romano, los restos de las murallas que rodeaban a la antigua ciudad, molinos de mano, estelas funerarias y otros vestigios.

Tempranamente cristianizada, vándalos, suevos y alanos se adueñaron sucesivamente de Salamanca. A principios del siglo VIII, los árabes arrebataron la ciudad a los visigodos. Fueron muchos e inútiles los intentos que los reyes asturiano-leoneses hicieron para recuperarla. Finalmente, pudo conseguirlo Ramiro I.

Pero todavía había de sufrir Salamanca el yugo árabe de Almanzor, que entró a sangre y fuego en la ciudad y la devastó. Salamanca fue durante un largo período víctima de las luchas entre árabes y cristianos, pasando sucesivamente de unas a otras manos, hasta que, con la reconquista de Toledo, quedó garantizada la posesión cristiana de la ciudad. Fue entonces cuando Alfonso VI inició la labor de repoblación de Salamanca, llevada directamente a cabo por su yerno el conde Raimundo de Borgoña.

Pero había de ser Alfonso IX a quien cupiera la gloria de fundar la Universidad, que habría de llegar a ser una de las más prestigiosas de todo Occidente. Ya a mediados del siglo XIII, el Papa Alejandro IV confirió a la Universidad salmantina igual rango universal que el que ostentaban las de París, Oxford y Bolonia. Desde entonces, el esplendor universitario de Salamanca se fue incrementando sin cesar, llegando a residir en la ciudad en el siglo XVI más de 7.000 estudiantes procedentes de toda España y de distintos países extranjeros.

El sello de la Universidad esculpido en la clave de la bóveda.

Escudo del Ayuntamiento salmantino.

Atardecer salmantino, con las torres de la catedral señoreando la ciudad.

El Arzobispado y la Universidad fueron las dos grandes coordenadas —religiosa y cultural— que determinaron el engrandecimiento de Salamanca, cuyo declive comienza cuando la Corte se traslada a Valladolid. No obstante, su prestigio nunca decayó del todo y todavía en el siglo XX había de darle Unamuno días de gloria a la Universidad salmantina al frente de su Rectorado. Salamanca fue cantada precisamente por don Miguel con encendida pasión intelectual:

> *Salamanca, Salamanca,*
> *renaciente maravilla,*
> *académica palanca*
> *de mi visión de Castilla...*

Ciudad renacentista, Salamanca, que, desde una suave eminencia que le sirve de asiento, se mira complacida en las aguas del Tormes, es una auténtica joya de la arquitectura española. La piedra sugestivamente dorada de sus monumentos —renacentistas y barrocos— confiere a la ciudad una singular personalidad. Actualmente, Salamanca recobra su antigua vitalidad universitaria. Han surgido nuevas secciones en la Universidad, se han construido nuevos Colegios Mayores y creado modernas Facultades y legiones de estudiantes alegran con su presencia la ciudad.

Puente romano sobre el Tormes, con la catedral al fondo.▷

El puente, austero y señorial, armoniza con el noble empaque de la ciudad.

LA CIUDAD

Salamanca es una de las ciudades españolas con personalidad más definida. El influjo de la Universidad se ha proyectado sobre la urbe de una manera profunda y peculiar y moldeado cultural y popularmente su carácter. Por otra parte, Salamanca es una ciudad de espíritu abierto y acogedor. Nadie se siente aquí forastero. Hay algo en su ambiente que resulta familiar, algo que es de todos. Es posible que sea el sustrato de la ilustre historia salmantina y posible también que radique en la cordial humanidad del pueblo de la ciudad del Tormes.

Oigamos lo que dice Unamuno de esta ciudad que él tanto amó: «Sí, yo podría describiros esta ciudad y ejercitar mi mayor o menor virtuosidad en la descripción literaria. Podría deciros cómo esta ciudad de Salamanca, asentada en un llano, a orillas del Tormes, es una ciudad abierta y alegre, sí, muy alegre. Cómo el sol, que sobre ella brilla, ha dorado las piedras de sus torres, sus templos y sus palacios, esa piedra dulce y blanda, que recién sacada de la cantera se corta como el queso, a cuchillo, y luego, oxidándose, toma ese color ardiente, de oro viejo, y cómo a la caída de la tarde es una fiesta para los ojos y para el espíritu ver a la ciudad, como poso del cielo en la tierra, destacar su oro sobre la plata del cielo y reflejarse, desdoblándose, en las aguas del Tormes, pareciendo un friso suspendido en el espacio, algo de magia y de leyenda». Hermoso, muy hermoso este espiritual retrato que Unamuno le hizo a la ciudad de Fray Luis de León.

Sugestivo enfoque nocturno de un ángulo de la Plaza Mayor. Al fondo el Ayuntamiento.

No menos hermosos son los versos que le dedicó:

*Alto soto de torres que al ponerse
tras las encinas que el celaje esmaltan
dora a los rayos de su lumbre el padre
Sol de Castilla...*

El centro neurálgico de Salamanca es su bella y famosa Plaza Mayor, uno de los espacios urbanos más sugestivos y arquitectónicamente más equilibrados de toda España. Se trata de una plaza cuadrada y aparece rodeada de acogedores porches, cuyos arcos se abren a diversas calles. El color de oro viejo de la piedra, el juego de luces y sombras que se proyecta por el ámbito de la plaza, así como su majestuosa disposición, llena de armonía, hacen de la Plaza Mayor un singular conjunto arquitectónico lleno de vida propia, extraordinariamente bello tanto espiritual como materialmente considerado.

El entrañable trazado de las calles que se entrecruzan y forman recodos de irrepetible perfil urbano o espacios abiertos que invitan al descanso y la

Un aspecto de la hermosa Plaza Mayor salmantina.

demorada reflexión, como el Campo de San Francisco, las plazas de Santa Teresa o de Sexmeros, el Patio Chico o el Patio de las Escuelas, convierten Salamanca en una especie de mirlo blanco comparada con el hosco talante, invadido por el ruido y el ajetreo, que presentan otras ciudades.

Por la Plaza Mayor, al admirar las catedrales —la vieja y la nueva, nueva del siglo XV—, al pasear por la Plaza de Anaya o por la calle de los Libreros, al contemplar la Casa de las Muertes, o el Palacio de Monterrey o la Torre de Clavero, inevitablemente se evoca el pasado y vienen al recuerdo un tropel de nombres ilustres, de figuras justamente célebres que pasaron por Salamanca en otros tiempos: Nebrija, Arias Montano, Fray Luis de León, Saavedra Fajardo, Tirso de Molina, Lope de Vega, Cervantes, Garcilaso, Góngora, Santa Teresa, Covarrubias, los Churriguera, Siloé, San Vicente Ferrer, Felipe II, Fernando el Católico, Cristóbal Colón, Carlos I o Felipe V.

Pero no todo es pasado en Salamanca, no todo es recuerdo, sino también presente vivo, dinámico, proyecto que deviene realización, como lo atestigua el progresivo ritmo de la ciudad en los últimos tiempos. Ahí están, como prueba irrefutable de que Salamanca camina con paso firme hacia el futuro, la Gran Vía, el Paseo de Canalejas, las avenidas de Torres Villarroel, de Anaya o de Portugal, la zona residencial de Brunete o los edificios de ultramoderna arquitectura que abundan por la ciudad.

EL AYUNTAMIENTO

Se alza en la espaciosa y bella Plaza Mayor y es un edificio de acusada personalidad, construido por José Churriguera. Su presencia contribuye a realzar el majestuoso empaque arquitectónico de la famosa plaza, una de las más originales de España.

Si bien la construcción de la Plaza Mayor fue iniciada el año 1729 y terminada a finales del siglo XVIII, el Ayuntamiento —de cuyo conjunto arquitectónico forma parte— presenta elementos muy posteriores, como la espadaña, que data de 1852.

Una vista de la Plaza Mayor, bajo la lluvia.

Dos enfoques del escudo del Ayuntamiento, la maqueta del edificio y las suntuosas escaleras, aspectos gráficos que ponen de relieve la personalidad de este hermoso edificio churrigueresco que forma parte del complejo arquitectónico de la Plaza Mayor de Salamanca.

Despacho del alcalde y Salón de Sesiones del Ayuntamiento salmantino.

Fachada principal de la bella iglesia románica de San Martín.

La iglesia de San Martín vista desde otro ángulo.

IGLESIA DE SAN MARTIN

Templo del siglo XII, de estilo románico. Es una de las iglesias salmantinas más características. Consta de bóvedas planeadas, de cañón apuntado, completadas por un sistema de crucería. Es muy hermosa la puerta románica del Norte. Son muy interesantes las sepulturas góticas y el nicho ojival coronado por una pequeña estatua de San Martín.

COLEGIO DE LA PURISIMA CONCEPCION

Los antiguos Colegios salmantinos estimulaban la formación de los estudiantes y, de hecho, eran un complemento de la Universidad.

Famosas personalidades de la época patrocinaban estas instituciones, encargando a arquitectos de gran renombre la realización de las obras.

Conocido también con el nombre de Colegio de Huérfanos, el Colegio de la Purísima Concepción fue construido en la primera mitad del siglo XVII.

El Arzobispo don Francisco Solís y Quiñones, salmantino de nacimiento y secretario de Paulo III, fue quien impulsó las obras.

El edificio, levantado por el arquitecto Alberto Mora, exhibe en el exterior una bella portada renacentista, adornada con una imagen de la Virgen.

IGLESIA DE SANTA MARIA DE LOS CABALLEROS

Se alza en la calle de Bordadores. Hoy se llama de Adoratrices y fue fundada en el siglo XII, siendo

Un detalle de la ornamentación exterior de San Martín.

reconstruida en el XVIII. Merecen especial mención la techumbre mudéjar de la capilla mayor, el retablo del siglo XVI y la estatua yacente, en alabastro, del sepulcro de Alfonso Rodríguez Guedejas.

SANTO TOMAS CANTURIANENSE

Está ubicado este templo cerca del Paseo de Canalejas y fue fundado en 1175 por Randolfo, un inglés cuyos restos reposan en la Catedral Vieja. Se trata de una construcción de traza románica, en cuyo interior se conservan varias interesantes tallas, un bello frontal de altar con azulejos y el sepulcro con estatua yacente de Diego Velasco, fundador del Colegio de Santo Tomás. Es la primera iglesia del mundo dedicada a Santo Tomás Becket.

CONVENTO DE SANTA ISABEL

Está situado en la calle de las Isabeles. En este templo merecen destacarse su altar mayor barroco, una hermosa tabla de *Santa Isabel de Hungría* —obra de Nicolás Florentino—, la afiligranada techumbre morisca del coro y los sepulcros que hay en la sacristía.

CONVENTO DE CORPUS CHRISTI

Se halla cerca del Paseo de los Carmelitas y fue fundado el año 1538. Este convento de clarisas exhibe una portada plateresca y en su interior se conservan interesantes tallas y retablos barrocos.

IGLESIA DE SAN BENITO

Ubicada en la plaza del mismo nombre. El templo es famoso por el papel que desempeñó en los acontecimientos históricos protagonizados por Doña María la Brava. En su interior destacan las estatuas yacentes de los sepulcros de los Maldonado y de Doña Elvira Hernández Cabeza de Vaca y la talla del *Calvario* del altar mayor, atribuido a Diego de Siloé.

Estatua de San Martín que ostenta la fachada del templo.

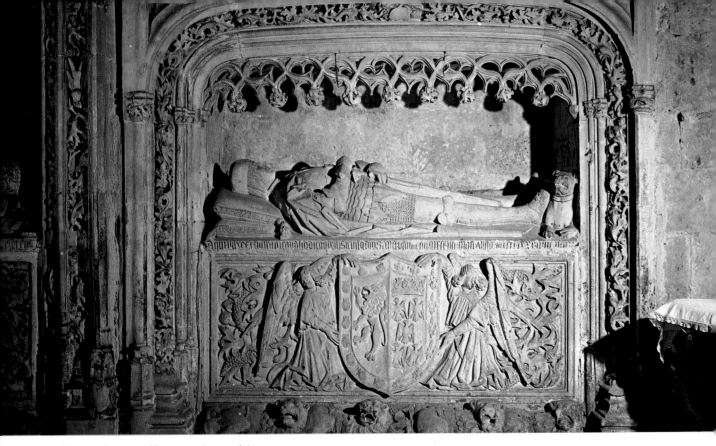

Uno de los magníficos sepulcros góticos que se conservan en la iglesia de San Martín.

COLEGIO DE CALATRAVA

Está situado a la derecha de la calle de Francisco Montejo y es un edificio construido por los Churriguera, en cuya fachada se exhiben los característicos adornos churriguerescos. Edificado a principios del siglo XVIII, experimentó a finales de la misma centuria modificaciones decididas por Jovellanos. El Colegio de Calatrava perteneció a las Ordenes Militares y hoy sus dependencias constituyen la sede del Seminario Diocesano.

El Colegio de Calatrava constituye una excelente muestra de la influencia del barroco en Salamanca.

CASA DE DOÑA MARIA LA BRAVA

Ubicada en la Plaza de los Bandos, es una mansión señorial del siglo XV, de diferenciada arquitectura e ilustre historia salmantina. Dos de los hijos de Doña María la Brava, que pertenecían al bando de Santo Tomé, perecieron a manos de los *Manzano,* del bando de San Benito. Estos se apresuraron a huir a tierras portuguesas. Pero Doña María fue a perseguirles hasta su refugio portugués, en Viseo, donde vengó la muerte de sus hijos ejecutando a los matadores, con cuyas cabezas cortadas regresó a Salamanca, arrojándolas sobre las tumbas de sus vástagos en la iglesia de Santo Tomé. La hazaña justifica sobradamente el calificativo de *Brava* dado a Doña María.

En la misma Plaza de los Bandos se alza también la casa señorial de Garci-Grande.

PALACIO DEL MARQUES DE ALBAIDA

Situado en la Plaza de Colón, ostenta una armónica fachada herreriana, una torre cuadrangular y una bella galería renacentista. Este palacio está vinculado a la pequeña calle del Ataúd, hoy desaparecida, a la que Espronceda alude en unos versos de su obra *El estudiante de Salamanca:*

> *Una calle estrecha y alta,*
> *la calle del Ataúd,*
> *cual si de negro crespón,*
> *lóbrego eterno capuz*
> *la vistiera...*

Espléndido primer plano de la imagen de la Virgen Madre, una vista del interior del templo y el retablo barroco de Santa Lucía de la iglesia de San Martín.

CASA DE LAS CONCHAS

Se trata de una bella mansión nobiliaria del tiempo de los Reyes Católicos y es uno de los edificios más característicos y populares de Salamanca. En la Casa de las Conchas pueden apreciarse elementos de inspiración gótica, morisca y renacentista. El conjunto arquitectónico destaca en la calle de la Compañía, donde está emplazada la original edificación, por la gracia de su diferenciada estructura.

Las conchas —símbolo de los Pimentel— que adornan la fachada son el origen de su nombre. Fue antigua casa fuerte y, además de las conchas de los Pimentel, exornan la fachada del edificio unos hermosos escudos con las cinco flores de lis de los Maldonado. Las conchas y los lises pregonan históricamente las bodas de doña Juana Pimentel con don Arias Maldonado, Comendador de Estriana, para quienes fue acondicionada la casa a finales del siglo XV. Ella era hija de los condes de Benavente y él,

Excelente primer plano del escudo de los Maldonado que ostenta la fachada de la Casa de las Conchas.

El original perfil arquitectónico de la popular Casa de las Conchas.

Conchas de vieira y flores de lis grabadas en la piedra.

hijo mayor del doctor Talavera Maldonado, miembro del Real Consejo de los Reyes Católicos.

Aunque desprovista de sus antiguas torres, la Casa de las Conchas mantiene su empaque señorial. Considerada como «la más bella construcción civil del arte isabelino español», cabe destacar de este interesante monumento salmantino la artística portada, los magníficos escudos, las hermosas rejas góticas de las ventanas y la escalera con artesonado de tipo italiano.

El original y sugestivo patio merece párrafo aparte. Es uno de los mejores de la ciudad. Aparece rematado por una afiligranada crestería a base de flores de lis. Ostenta varios blasones, que, sumados a los del exterior, alcanzan la cifra de ciento cincuenta y tres, todos ellos alusivos a los linajes entroncados en el matrimonio Maldonado-Pimentel.

PALACIO DE ARIAS CORVELLE

Perteneció a los Marqueses de Almarza y fue construido hacia mediados del siglo XVI. Este palacio está situado en la Plaza de San Boal —cuyo nombre lleva igualmente— y de su conjunto arquitectónico merecen destacarse la señorial fachada y su bello pórtico.

PALACIO DE ABARCA

Ubicado en la Plaza de Fray Luis de León, es un hermoso edificio del siglo XV, de típico estilo isabelino. Perteneció al doctor Alvarez Abarca, médico de Isabel la Católica. En la actualidad es sede del Museo Provincial. En la planta baja se conservan interesantes labras heráldicas, lápidas y restos arquitectónicos de importantes monumentos desaparecidos. La planta alta ofrece un valioso conjunto museístico, del que sobresalen las colecciones de pintura —de modo especial las tablas flamencas de los siglos XV y XVI, así como algunos lienzos de artistas españoles e italianos, como Morales y Caravaggio—, de tallas, de marfiles y de otras piezas de orfebrería.

Las hermosas rejas góticas de la Casa de las Conchas.

UNIVERSIDAD PONTIFICIA

El Real Colegio del Espíritu Santo se empezó a construir el año 1617 bajo la dirección de Juan Gómez de Mora. La fundación fue patrocinada por Felipe III y su esposa Margarita de Austria. Forma un conjunto arquitectónico en torno a la iglesia de la Clerecía y es actualmente sede de la Universidad Pontificia. Se trata de uno de las más valiosas muestras de la arquitectura barroca en Salamanca.

La imponente fachada barroca de la Clerecía está situada enfrente de la de la Casa de las Conchas. «Tiene —dice Rafael Santos Torroella— algo de desafío a las arquitecturas de las restantes órdenes religiosas esta tremenda mole; acaso también de desagravio a la memoria del Fundador. Íñigo de Loyola estuvo preso aquí, con su acompañante Calixto, en 1527, pasando tres días en una celda de los dominicos y otros veinte en la cárcel donde «le dejó poco dormir multitud de bestias».

Si la fachada resulta realmente fastuosa, el templo da la sensación de una gran solidez arquitectónica. Resulta sorprendente su original juego de luces, que ilumina intensamente el crucero y mantiene la nave mayor casi en penumbra.

Parece ser que la construcción de la Clerecía no se inició más que después de vencer la resistencia tenaz opuesta por la población y entidades de tanta raigambre e influencia como la Universidad, el Cabildo, el Ayuntamiento y la mayor parte de las órdenes religiosas establecidas en Salamanca. Pero la Compañía de Jesús logró vencer todos los obstáculos y construir el edificio de la Clerecía, cuyas obras no fueron terminadas hasta el año 1750.

Antes de iniciarse las obras, hubo que demoler dos iglesias y —escribe Santos Torroella— «allanar las casas comprendidas en las calles del Carbón y la Especiería —en las que se albergaban no menos de 500 vecinos— con objeto de desembarazar los 20.000 metros cuadrados del área que había de ocupar el nuevo edificio. Hasta estuvo a punto de desaparecer la Casa de las Conchas, por cuyo solar se dice que

Una perspectiva de la Clerecía o Universidad Pontificia.

Monumento a Fray Luis de León.

ofrecieron los jesuitas tantas onzas de oro como conchas se contasen en la misma».

El primer director de las obras e inspirador de la traza arquitectónica de la Clerecía fue Juan Gómez de Mora, arquitecto real y discípulo de Herrera. A su autoría se debe el primer cuerpo de la fachada, que consta de media docena de columnas corintias de considerables dimensiones, sustentadas por los grandes plintos que rodean las tres puertas. El conjunto aparece enriquecido por una grandiosa escalinata de seis gradas.

Monumento a Fray Luis de León y fachada de la Universidad, con la catedral asomando al fondo.

Remate de afiligranada piedra que corona la fachada plateresca de la Universidad.

Artísticos escudos labrados en piedra en la fachada de la Universidad salmantina.

Un detalle de la maravillosa ornamentación de la fachada.

Disco de piedra con las efigies de los Reyes Católicos.

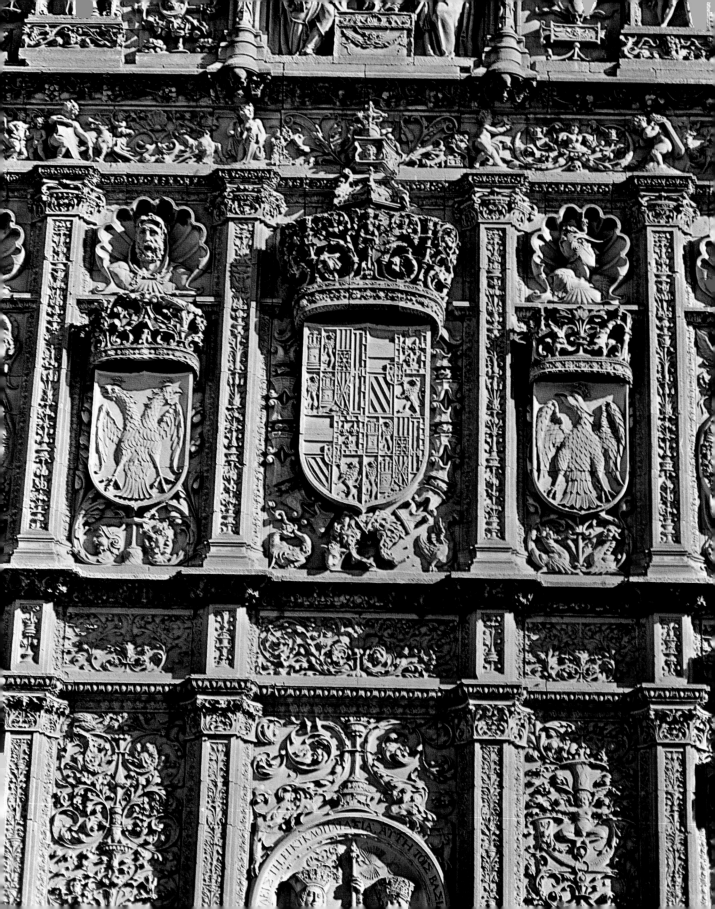

Sugestiva perspectiva del hermoso patio de las antiguas Escuelas Menores de la Universidad.

Las obras fueron continuadas desde 1644 bajo la dirección del padre Amatos. Este jesuita es el inspirador del segundo cuerpo de la Clerecía. Esta parte de la estructura arquitectónica del edificio es continuación del primer cuerpo de la misma y aparece rematada por una cornisa y una balaustrada que sustentan las dos torres iguales que hay a los lados y la espadaña central. Las torres fueron construidas por Andrés García de Quiñones.

El interior consta de una planta de cruz latina insertada sobre un rectángulo y con un crucero que sirve de base de sustentación a la magnífica cúpula ochavada construida bajo la dirección del padre

Bóveda de crucería estrellada, puerta gótica de la antigua biblioteca, escalera y detalle escultórico que exorna la escalera.

Amatos. Destaca en el interior de la Clerecía el gran retablo mayor, obra de Cristóbal de Honorato, cuyo estilo preludia ya la eclosión churrigueresca. Este espléndido retablo consta de cuatro sólidas columnas salomónicas exornadas con hojas y racimos. El centro aparece ocupado por un relieve alusivo a la *Venida del Espíritu Santo.* Encima se inserta la Virgen apareciéndose al fundador de la Compañía de Jesús cuando está escribiendo sus *Ejercicios Espirituales.* Las efigies de San Agustín, San Jerónimo, San Gregorio y San Basilio aparecen enmarcadas por las columnas. Encima, como remate de las columnas, están, magníficamente esculpidas, las figuras de los cuatro Evangelistas.

Son también interesantes los retablos de las capillas del crucero y de las naves de los lados, verdaderas apoteosis del barroquismo salmantino.

Paraninfo de la Universidad.

En la sacristía hay varias pinturas atribuidas a Rubens y una excelente talla policromada de *Jesús flagelado*, de la que es autor Luis Salvador Carmona.

La escalera, que arranca de uno de los costados del patio de la Clerecía, es de gran valor artístico. Consta de nueve tramos que se sustentan sobre majestuosas bóvedas de arco rebajado. Los muros aparecen adornados por cuadros de Vallés.

El Salón de Actos de la Clerecía es de estilo barroco y aparece adornado por diversas pinturas. Esta solemne estancia fue el centro de la cultura religiosa de los siglos XVII y XVIII, hasta que los jesuitas fueron expulsados por Carlos III el año 1767. Primero se instaló allí la Real Capilla de San Marcos, en el citado año de la expulsión. Después, en 1854, el Colegio se convirtió en Seminario Menor y, en la actualidad, desde 1940, alberga las dependencias del Seminario Mayor y de la Universidad Pontificia.

Aula Fray Luis de León.

LA UNIVERSIDAD

Salamanca cuenta con una dilatada e ilustre tradición universitaria, que se remonta a 1218, año en el que el rey Alfonso IX otorgó el diploma fundacional de las Escuelas salmantinas. Los privilegios universitarios fueron confirmados el año 1243 por Fernando III. Once años más tarde, Alfonso X habla ya concretamente de la Universidad de Salamanca, a la que dota de cátedras después de que el papa Alejandro IV otorgase el título de Estudio General a la Universidad salmantina, equiparándola de tal suerte a las de París, Oxford y Bolonia. Los Reyes Católicos otorgaron nuevos privilegios al Estudio General de Salamanca, que, en 1596, contaba setenta cátedras establecidas —según la histoia de Chacón, y setenta y tres según González Dávila—, de las cuales diez eran de leyes, diez de Cánones, siete de Teología, siete de Medicina, once de Lógica y Filosofía, diecisiete de Retórica y Gramática, cuatro de lengua griega, dos de lengua

Un aspecto de la antigua Biblioteca de la Universidad de Salamanca.

*Detalles de la artística lacería morisca que decora el
zaguán de la Universidad.*

Primer plano de la Capilla de la Universidad salmantina. ▷

hebrea y caldea, una de Astrología y otra de Música.
El edificio de la actual Universidad fue construido en
tiempos de los Reyes Católicos. Es uno de los más
representativos del plateresco español. La fachada
pasa por ser la más bella de este estilo. Constituye un
verdadero alarde arquitectónico realizado en esa
magnífica piedra del vecino pueblo de Villamayor. Se
desconoce el nombre del autor de esta obra maestra
del arte plateresco, que parece haber sido hecha en
homenaje a los Reyes Católicos, cuyas efigies
aparecen en el gran medallón central del primer cuerpo, circundadas por una leyenda que dice en griego:
«Los Reyes a la Universidad, ésta a los Reyes».

En el segundo cuerpo de la fachada, cuyos relieves
resaltan más acusadamente que los del primero,
destacan tres escudos imperiales en la parte central
flanqueados por dos medallones con los bustos de
Adán y Eva.

La fachada aparece rematada por un tercer cuerpo.
Los relieves son aún más abultados y representan, en
el centro, la figura de un Pontífice dirigiendo la
palabra a un grupo de cardenales. A un lado aparece
una escultura de Hércules y al opuesto un recuadro
con otra de Venus.

A la derecha de la fachada de la Universidad está la
Casa Rectoral, donde vivió don Miguel de Unamuno
algunos años a principios de siglo y cuyas dependencias conservan actualmente los muebles, la biblioteca
y la correspondencia del autor de *La agonía del Cris-
tianismo.*

Signos del Zodíaco y El planeta Marcurio *de la boveda de Fernando Gallego que se conservan en el Museo Universitario.*

Cuadro anónimo que figura en la pinacoteca de la Universidad.

La Anunciación, obra de Juan de Bolonia perteneciente a la colección de pintura de la Universidad.

El considerable incremento de estudiantes hizo insuficiente el antiguo edificio, en el que están actualmente el paraninfo destinado a las solemnidades académicas, la capilla en la que reposan los restos de Fray Luis de León, el aula de música del maestro Salinas, la cátedra de Teología —o de *Fray Luis,* que conserva la misma estructura originaria—, la bóveda en cuya clave se exhibe el escudo de la Universidad, la antigua biblioteca —detrás de cuya puerta gótica se guardan unos 40.000 volúmenes, entre ellos 500 incunables y 3.000 manuscritos—, la moderna —que reúne más de 165.000 ejemplares— y la sala de claustros.

Merece especial mención la capilla universitaria de San Jerónimo. Empezó a construirse en la segunda mitad del siglo XV y fue modificada por el arquitecto Simón Gavilán Tomé. No se conserva más que algún fragmento del antiguo retablo de Juan de Flandes. El retablo que hoy exhibe la capilla ostenta valiosos mármoles multicolores y consta de media docena de lienzos.

Las paredes laterales de la capilla están recubiertas de terciopelo. Los restos de Fray Luis de Granada —que fueron encontrados en los desechos del Convento de San Agustín— reposan en un monumento sepulcral situado en la pared de la derecha y, enfrente, está colgado un retrato del Beato Juan de Ribera, obra de Gregorio Ferro.

Es muy bella la escalera que conduce a la galería alta del claustro. La galería del poniente ofrece un extraordinario interés. Está decorada por Juan de Alava y exhibe un magnífico artesonado con afiligranada ornamentación mozárabe. Los siete elegantes arcos de que consta muestran por su parte externa unos espléndidos bajorrelieves representando símbolos de ambigua interpretación, inspirados, según parece, por el doctor Hernán Pérez de Oliva.

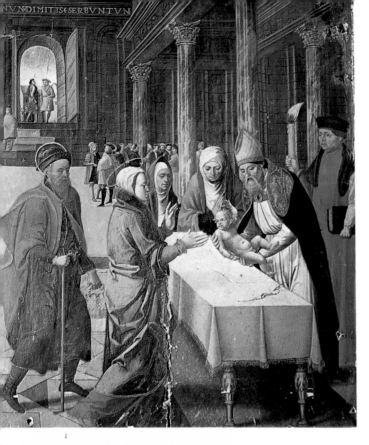

Pinturas de autor anónimo y tema religioso, pertenecientes al Museo Universitario.

Otras tres obras, también de tema religioso y autor anónimo, que forman parte de la valiosa pinacoteca universitaria.

Patio de las antiguas Escuelas Menores, donde está instalado el interesante Museo de la Universidad.

ESCUELAS MENORES

Edificio construido en el siglo XVI, que antiguamente albergó las dependencias del Estudio General y en la actualidad las del Museo Universitario. En las Escuelas Menores están instaladas el Archivo, la Secretaría y la Sala de Juntas de la Universidad.

Parece ser que anteriormente estuvo el Pretorio en el mismo emplazamiento que las Escuelas Menores y que este edificio fue construido sobre las casas que fueron de la aljama de los judíos. Estuvo también situado aquí, antes de ser construido el actual edificio, el palacio de los Condes repobladores.

La fachada de las Escuelas Menores es de estilo plateresco y se asemeja a la de la Universidad, aunque menos artísticamente trabajada que ésta. Al pasar el zaguán, puede contemplarse el escudo de la Universidad salmantina.

Una portada gótica con aditamentos renacentistas da acceso a la Sala de Juntas de la Universidad, donde llaman poderosamente la atención el magnífico artesonado polícromo, la tribuna del coro artísticamente labrada y una excelente Piedad del siglo XVI.

En el patio porticado se insertan varias aulas, en una de las cuales se conservan parte de las pinturas hechas por Fernando Gallego en el techo de la antigua biblioteca, estancia en la que pueden contemplarse lienzos, tablas y tallas de los siglos XV y XVI.

Sugestiva perspectiva de la cabecera de la iglesia románico-mudéjar de Santiago.

IGLESIA DE SANTIAGO

Antigua parroquia mozárabe cuya fundación data del siglo XII. Está construida en ladrillo y es de estilo románico-mudéjar. Los ábsides, muy bellos, son mudéjares y la nave central ostenta armadura del siglo XVI. Es una de las iglesias más originales de Salamanca, y desde su emplazamiento se domina una hermosa panorámica.

Queda muy cerca de la iglesia de Santiago el bello puente romano, cuyos quince arcos próximos a la ciudad son de la época de Trajano. El famoso puente formaba parte de la vía romana Mérida-Astorga y fue reconstruido parcialmente en el siglo XVII. La iglesia de Santiago y el puente romano constituyen una sugestiva estampa arquitectónica asociada al Tormes, cuyas aguas bañan la rica y hermosa vega salmantina. El paisaje circundante ha sido cantado por don Miguel de Unamuno en entrañables versos:

> Miras a un lado, allende el Tormes lento,
> de las encinas el follaje pardo
> cual el follaje de tu piedra, inmóvil,
>   denso y perenne.
> Y de otro lado, por la calva Armuña,
> ondea el trigo, cual tu piedra, de oro,
> y entre los surcos al morir la tarde
>   duerme el sosiego.

Primer plano del Patio Chico, con la Catedral al fondo.

CATEDRAL VIEJA

Basílica construida a mediados del siglo XII. En su peculiar traza arquitectónica resulta fácilmente perceptible la evolución del románico al gótico. Se trata de la antigua *Fortis Salmantina.* Sus sólidos muros de tres metros de espesor, sus fuertes pilares y las dos torres —la de más elevación que hacía la función de campanario, en tanto que la otra era utilizada como vivienda del alcaide y también, más de una vez, en la defensa contra los ataques del exterior—, le daban a la estructura de la Catedral Vieja un inconfundible aire de fortaleza medieval.

Este templo es, sin duda alguna, uno de los monumentos más hermosos de España en su estilo. Se ignora quiénes fueron los arquitectos que dirigieron las obras; algunos opinan que el Conde Ramón de Borgoña y su esposa Doña Urraca, que fueron sus fundadores, llamaron a maestros franceses, pero también se mantiene la tradición de que fueron ingleses. Consta de tres ábsides en hemiciclo y exhibe una soberbia cúpula sobre el crucero, popularmente denominada Torre del Gallo. Los tres ábsides ostentan artísticos detalles en las graciosas ventanas, con columnas de capiteles románicos de elegante factura. El cimborrio, bizantino-románico, aparece flanqueado por cuatro cubos redondeados.

En la construcción de la Catedral Vieja participaron seis Maestros, conocidos por las siguientes denominaciones: *de la Planta o de los ábsides, de los Pilares, de las bóvedas de las naves bajas, del Claustro, de la bóveda de la nave mayor y de la Torre del Gallo.*

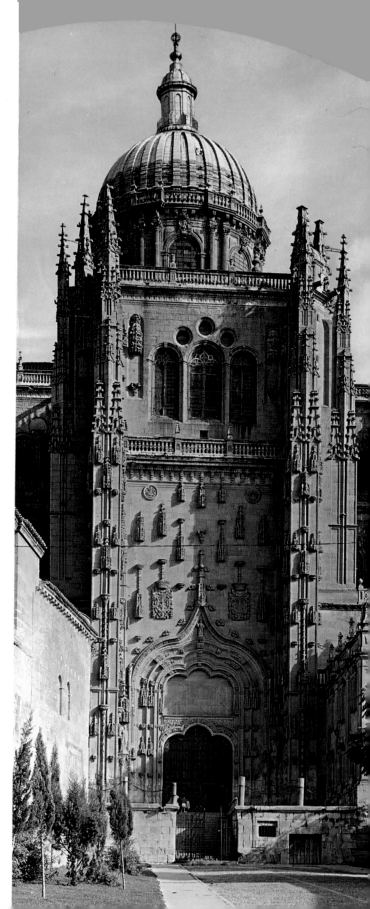

Puerta de la Catedral de Salamanca.

El lugar más adecuado para admirar el exterior del templo es el Patio Chico, desde donde se contemplan perfectamente la elegante línea de los ábsides y la Torre del Gallo, con su decoración de influencia bizantina. La fachada principal presenta una portada neoclásica y en su amplio vestíbulo se alza una gran arcada sustentada sobre columnas románicas. La nave principal del templo mide 54 metros e impresiona por su equilibrada grandeza.

El ambiente del interior de la basílica refleja perfectamente la etapa de transición que enlaza las postrimerías del estilo románico con el nacimiento del gótico.

Las obras parece ser que fueron iniciadas hacia el año 1140 y duraron hasta el primer cuarto del siglo XIII.

En el interior de la Catedral Vieja llama la atención el magnífico retablo del altar mayor —terminado en 1445 por el florentino Dello de Nicola—, con sus cincuenta y tres tablas con motivos alusivos a la vida de Jesús y de la Virgen, rematadas en el cascarón de la bóveda por una soberbia representación del Juicio Final pintada al fresco.

Son asimismo muy interesantes los sepulcros primitivos de la nave derecha y los góticos de los ábsides y crucero, entre los que destacan el de Doña Elena —considerado del siglo XIII o XIV— y el del Chantre Guillén, de la escuela leonesa de finales del XIII. «La muerte, aquí, desde las estatuas yacentes, bellísimas algunas, y desde las inscripciones que aún pueden leerse —escribe Santos Torroella—, nos habla a cada paso de la vida de seres que fueron y dejaron tras de sí, a veces concentrada en una sola palabra, la huella de su recuerdo».

Entre las numerosas capillas, merecen especial mención la llamada de Talavera —fundada por el talaverano doctor Rodrigo Maldonado, consejero de los Reyes Católicos—, que fue antigua sala capitular, fundada el año 1180 y destinada desde 1510 al culto mozárabe, en la que destacan su hermosa y original bóveda mudéjar, un excelente retablo del siglo XVI y una bella Virgen gótica del XIV; la de Santa Bárbara, donde los aspirantes a doctores, de espaldas al altar y

Las torres de la catedral recortándose sobre el azul del cielo salmantino.

con los pies colocados sobre los del Obispo Lucero, pasaban la noche anterior al examen orando y estudiando, en la que se conservan diversas obras de arte; la de Santa Catalina, donde antaño se reunían Cortes y Concilios, histórico escenario de la absolución de los caballeros templarios en 1316, que también conserva numerosas muestras de arte; y la de Anaya, donde reposan los restos de los fundadores de la capilla, en la que puede admirarse una maravillosa reja de estilo español y la tumba sobre la que puede leerse esta inscripción: «Gutierre de Monroy y Doña Constanza de Anaya su muger, a los quales dé Dios tanta parte del cielo como por sus personas y linajes merecían de la tierra».

Ofrece también indudable interés el Museo Diocesano, instalado en la antigua Sala Capitular, que cuenta con valiosas colecciones de pintura —entre ellas las magníficas tablas del *Nacimiento,* de la *Flagelación de Cristo,* de la *Virgen de la rosa* y *La Coronación de la Virgen;* el *Tríptico de Santa Catalina,* magnífica obra de Francisco Gallego; el *Tríptico* de Juan de Flandes, con su extraordinario San Miguel central; varias obras del pintor salmantino Pedro Bello; anónimos de los siglos XV y XVI; esculturas de los siglos XIV al XVII; el órgano del siglo XVI; un retablo de autor desconocido del siglo XVI, que procede de Terradillos; una Virgen tallada en marfil, del siglo XIV; un crucifijo esmaltado del siglo XIII, de Limoges; y otros valiosos objetos de arte religioso.

LA CATEDRAL NUEVA

Fue terminada en el siglo XVIII, pero la construcción se inició a principios del siglo XVI, el 13 de mayo de 1513, bajo la dirección de los arquitectos Antón Egas, Alonso Rodríguez y Juan Gil de Hontañón. Los dos largos siglos que duraron las obras de la Catedral Nueva hacen que se reflejen en su estructura arquitectónica diversos estilos, que van del gótico florido al barroco, pasando por el plateresco.

Contemplando el templo desde su aspecto externo, ofrece desde todas partes un aspecto de reciedumbre que lo asemeja a una fortaleza. Los torreones y los cubetes que adornan y refuerzan al mismo tiempo la base de la fábrica del templo contribuyen a prestarle cierto talante bélico, al que no son ajenas las numerosas agujas crestadas que rematan la basílica.

Según Araujo, hay unas cuatrocientas agujas coronando la Catedral Nueva, que, como dice Santos Torroella, compensan «con primores de arte» la pesadez de la masa y «tienen cierto aire de lanzas enhiestas, como guardia y custodia del recinto».

Los cuerpos externos de la basílica se escalonan y unen por medio de graciosos arbotantes sustentados por sesenta elegantes contrafuertes que aparecen por las afiligranadas agujas góticas mencionadas.

La fachada Oeste del templo exhibe cuatro bellos arcos de medio punto rematados por una barandilla de calado gótico, cuatro medallones con bustos, treinta escudos, cinco artísticos relieves, ochenta y ocho estatuas y ciento ochenta y ocho repisas y doseletes.

En la fachada Norte —también denominada de la de

La Torre del Gallo de la Catedral Vieja de Salamanca.

Perspectiva de la nave central de la Catedral Vieja.

Retablo del altar mayor de la Catedral Vieja.

La Piedad, *obra de Salvador Carmona que se conserva en la Catedral Nueva.*

Ramos y del Taller, mientras duraron las obras— ofrece también una relevante personalidad arquitectónica y está exornada con relieves y estatuas dentro de un amplio arco canopial. La Puerta de Ramos es una de las más bellas de España.

La fachada llamada del Patio Chico, o sea, la meridional, está compuesta de dos cuerpos, con un triple arco bocelado ilustrado con pilares y afiligranadas agujas góticas, coronado por una balaustrada con pináculos.

El maravilloso color dorado de la piedra produce un singular y mágico efecto en quien contempla la sugestiva arquitectura de la Catedral Nueval, en cuyo interior —de 104 metros de largo por 48 de ancho— se insertan tres naves con dos filas de capillas, con transepto y un deambulatorio cuadrado. Treinta y ocho elegantes pilares de diez metros de diámetro sustentan las bóvedas.

Son muy interesantes las dos galerías —una de estilo gótico florido, con su hermoso friso de animales y escudos, y la otra, renacentista, alrededor de la capilla mayor— se extienden a lo largo de las paredes, en las que se abren setenta y dos ventanales con soberbias vidrieras góticas.

Merecen especial mención en el interior del templo la artística sillería del coro —obra de Juan Benito Churriguera—; la Capilla Dorada, con decoración mudéjar, que posee coro, sacristía y benditera especiales y en cuyo ámbito destacan una espléndida reja, la tumba plateresca de su fundador, Sánchez de Palanzuela y numerosas estatuillas de piedra policromada; la Capilla del Sudario, donde estuvo la Virgen de la Vega, inapreciable talla del siglo XII; la del Carmen, con el célebre *Cristo de las Batallas*, que, según la tradición, llevaba consigo el obispo siempre que participaba en un combate al lado del Cid; la Capilla Mayor, con la estupenda imagen de *La Asunción*, obra del escultor Gregorio Fernández; el cuadro de Morales titulado *Virgen con San Juanito y el Niño*, y la sacristía —siglo XVIII-, donde se conservan excelentes lienzos de Maella y una valiosa colección de objetos religiosos.

*Perspectiva
de la nave
central de la
Catedral
Nueva.*

Panorámica de la Plaza y Palacio de Anaya.

PLAZA Y PALACIO DE ANAYA

La recoleta Plaza de Anaya está situada al lado de la Catedral Nueva y en ella están las dependencias de tres Facultades de la Universidad salmantina. En el centro de la plaza hay un pequeño jardín señoreado por el monumento al Obispo Cámara. Vinculadas urbanísticamente a la Plaza de Anaya, las calles de la Rúa y del jurista Vitoria forman parte del ambiente estudiantil que allí suele reinar alegrando y vitalizando su ámbito.

En la Plaza de Anaya está ubicado el antiguo Convento de San Bartolomé, fundado el año 1401 y reconstruido en 1760 por Sagarvinaga y Hermosilla. En este edificio de estilo neoclásico están instaladas actualmente las Facultades de Letras y Ciencias, aparte de las Escuelas del Magisterio —que ocupan la hospedería— y la parroquia de San Sebastián, la antigua capilla.

Son de gran interés el patio del palacio, con sus sugestivas galerías arquitrabadas, en las que contrastan armónicamente los tonos grisáceos con el dorado dinamismo de la arena, y en la escalera que ostenta en un rellano un busto de don Miguel de Unamuno, obra del escultor Victorio Macho.

La plaza y el palacio de Anaya constituyen uno de los rincones salmantinos de más acusada personalidad, una especie de recinto urbano impregnado de espíritu universitario.

Al lado del Palacio de Anaya se alza la arquitectura barroca de la iglesia de San Sebastián, parte de cuyo edificio oculta parcialmente la Rúa al enlazar la Plaza de Anaya con la Mayor. Las típicas casas de las calles del Silencio y El Tostado realzan el lugar.

Fachada del Palacio de Fonseca, edificio que actualmente alberga las dependencias de la Diputación.

Detalle de la artística decoración del elegante patio del Palacio de Fonseca.

LA DIPUTACION

Ocupa el antiguo Palacio de La Salina —llamado así porque en otro tiempo estuvo aquí un depósito de sal— y se encuentra no lejos de la Plaza Mayor, en la calle de San Pablo. El edificio fue mandado construir por el arzobispo don Alonso III de Fonseca, motivo por el que también recibe el nombre de Palacio de Fonseca, a quien la leyenda atribuye el propósito de ridiculizar, en las esculturas que decoran las ménsulas que sustentan la galería del patio, a los nobles salmantinos, familiares suyos, que se comportaron despreciativamente con María de Ulloa, bella dama gallega. Tales esculturas son, para Ramón Aznar, «de los ejemplares más preciosos de la escultura española del Renacimiento» y llaman la atención por su original composición y lo magistral de su ejecución.

Las obras del edificio, que en la actualidad albergan las dependencias de la Diputación Provincial, datan de 1538. Destacan en la fachada, de elegante factura, sus cuatro airosos cuerpos y también los artísticos medallones de las enjutas. Uno de estos medallones, en el que aparece la egipcia Cleopatra llevándose al pecho el áspid con el que se suicidó, llama poderosamente la atención por el exotismo del motivo.

Es también muy interesante el patio del palacio. Consta de una sola galería voladiza, con arcos, capiteles y ménsulas finamente labrados. Este bello patio no desmerece en absoluto en la comparación con los numerosos y artísticos patios de otros importantes palacios salmantinos. El Palacio de La Salina o de Fonseca es, sin duda alguna, uno de los más bellos monumentos de la ciudad.

La original arquitectura de la Torre del Clavero destaca su silueta entre los jardines que la rodean.

PATIOS SALMANTINOS

Salamanca, como Córdoba o como Sevilla o Toledo, ofrece el sugestivo y sorprendente espectáculo urbano de sus típicos patios, acogedores, recoletos, de artística estructura, en los que el silencio se remansa humanizadamente como un verdadero milagro existencial.

Entre los numerosos y bellos patios salmantinos, destacan el del Palacio de Anaya, el del Colegio del Arzobispo —equilibradamente soleado—, el de la Casa de las Conchas —mezcla de influencias morisca e italiana—, el de las Dueñas —considerado como el más típicamente salmantino—, el de San Esteban, el de la Clerecía, el de las Escuelas Menores, el del Palacio de San Boal, el del Palacio de Arias Corvelle y el del Palacio de Fonseca.

TORRE DEL CLAVERO

Es lo que queda de la antigua casa señorial de don Francisco de Sotomayor, clavero de la Orden de Alcántara, circunstancia a la que debe su nombre la torre. Es uno de los monumentos más característicos de Salamanca y en su estructura se asocian armoniosamente su aspecto de fortaleza militar y la gracia arquitectónica del siglo XV.

La Torre del Clavero alza su singular traza de vieja piedra no lejos de la Plaza Mayor, en la confluencia de las calles Consuelo y Miñagustín.

CONVENTO DE LAS DUEÑAS

Se trata de un antiguo palacio donado por doña Juana R. Maldonado a una comunidad de dueñas (monjas o beatas que antiguamente vivían comunitariamente y solían ser mujeres principales). Está situado cerca de la plaza de Mariano Solís.

La iglesia del Convento de las Dueñas es del siglo XVI y ostenta una magnífica portada de estilo plateresco. Pero lo más interesante es el soberbio patio renacentista, calificado como «el mejor y más sorprendente de los patios salmantinos». Todo el conjunto es de gran elegancia arquitectónica. Merece especial mención la galería alta, que exhibe unos capiteles artísticamente esculpidos con los más variados y originales motivos temáticos.

El Convento de las Dueñas está situado en una zona de la ciudad particularmente sugestiva. Muy cerca del señorial edificio —cuya arquitectura armoniza con la no menos sugestiva del Convento de San Esteban situado enfrente— está situadas las entrañables calles salmantinas del Tostado, del Silencio, de San Vicente y de Doyagüe, así como las plazas de Mariano Solís, de Carvajal y de los Leones. No queda lejos tampoco la calle del Arcediano, al final de la cual se halla el «Huerto de Melibea».

Dos aspectos del hermoso claustro del convento de las Dueñas.

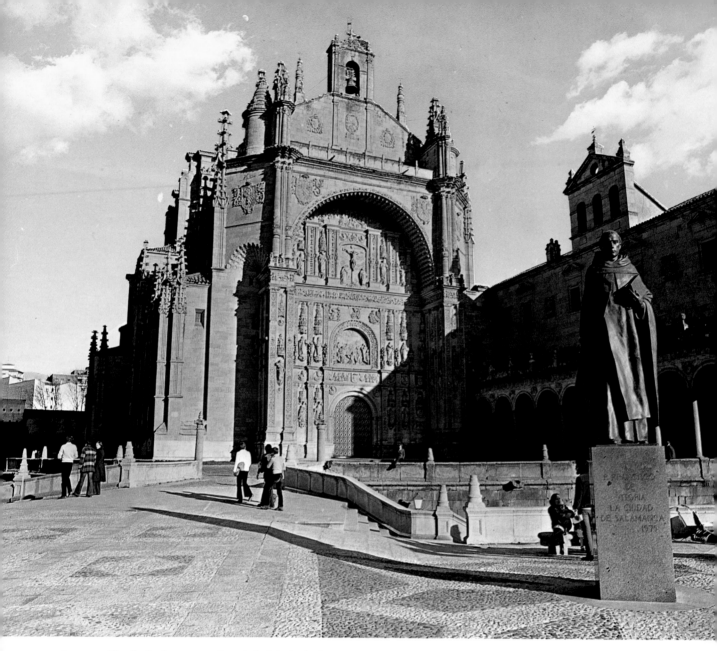

La magnífica fachada renacentista de la iglesia de San Esteban.

SAN ESTEBAN

El convento de dominicos de San Esteban se halla emplazado enfrente del de las Dueñas. Fue fundado en el siglo XIII y es uno de los monumentos salmantinos más bellos. Empezó a construirse el año 1524 bajo la dirección del arquitecto renacentista Juan de Alava. Las obras del templo fueron continuadas por Juan de Rivero Rada. Pedro Gutiérrez y Juan de Salcedo. Fue consagrado el año 1610, año en que el escultor milanés Juan Antonio Ceroni firmó el espléndido relieve que aparee en el arco hornacina situado encima de la portada principal y que representa el martirio de San Esteban. Esta portada principal está justamente considerada como uno de los más altos logros del estilo plateresco español. Las tallas en piedra que la decoran —estatuas, escudos, medallones, repisas, doseletes— forman un magnífico conjunto renacentista y plateresco y constituye la gran obra de arte en la que trabajaron colectivamente

Monumento a Francisco de Vitoria.

alrededor de media docena de escultores y veintidós tallistas.

Es asimismo de gran valor artístico el pórtico del lado derecho de la portada —siglo XVI—, obra del más depurado estilo renacentista.

El templo consta de una sola nave, con capillas similares a las construidas durante el reinado de los Reyes Católicos.

En el interior merecen especial mención el hermoso altar mayor —obra maestra de José de Churriguera, fechada el año 1693—, en cuya construcción fueron utilizados 4.000 pinos—; el *Martirio de San Esteban,* impresionante pintura barroca de Claudio Coello; el *Triunfo de la Iglesia,* excelente pintura al fresco de Antonio Palomino, que decora el fondo del coro; las populares y sugestivas pinturas de Antonio Vilamor; el sepulcro plateresco de Fernández de Paz de la capilla de San Juan Bautista, y la sillería del coro, del siglo XVII.

Son también de interés la Sacristía, de hermosa estructura italianizante, en la que se conserva la sepultura de su fundador fray P. de Herrera, Obispo de Tuy; la Sala Capitular, del mismo estilo italiano de la época, y el Salón de Profundis —siglo XV—, en el que, al parecer, mantuvo una viva discusión Cristóbal Colón en relación con la ruta de las Indias.

Son igualmente interesantes los tres claustros del convento: el de los Reyes —siglo XVII, obra de Sardiña—, el de Colón —siglo XV— y el de los aljibes. El primero se puede visitar, pero los otros dos están ocupados por los frailes dominicos de clausura. El patio de San Esteban viene a ser un verdadero museo de escultura y su elegante estructura armoniza con la de todo el conjunto arquitectónico del convento.

En San Esteban vivió el famoso P. Vitoria, considerado como el restaurador del Derecho Internacional. También parece ser que Colón permaneció durante algún tiempo en el convento. Y, en el llamado Monte Olivete, huerta de los frailes dominicos, se dice que pronunció San Vicente Ferrer varios sermones.

No sólo por su gran calidad artística como monumen-

Magníficas esculturas que decoran la fachada de San Esteban.

Claustro de Colón y un aspecto de la bóveda.

Casullas que se guardan en la sacristía de San Esteban.

Un detalle de «Las Claves».

to y por las numerosas y valiosas obras de arte que conserva en su interior, sino también por su ilustre ejecutoria histórica y por los personajes que lo visitaron o vivieron en el convento, San Esteban constituye uno de los hitos más genuinamente salmantinos de toda la ciudad.

San Esteban es un templo proyectado dentro de los cánones góticos, pero que exhibe una fastuosa fachada renacentista. La portada viene a ser un gran arco triunfal colmado de estatuas, escudos, grutas y medallones. La ornamentación plateresca es una verdadera maravilla en piedra. Su contemplación produce verdadero asombro. Pero Salamanca mitiga fácilmente los asombros, porque los ojos se enfrentan aquí y allá, a lo largo y a lo ancho de la ciudad, con monumentos de impresionante belleza y rincones entrañablemente sugestivos.

El Convento de San Esteban está ubicado en una parte de la ciudad particularmente interesante, no sólo por su original estructura urbana sino también por los recuerdos históricos e incluso literarios que evoca.

Retablo del altar mayor de la iglesia de San Esteban. ▷

Pintura al fresco existente en San Esteban.

Claustro de los Reyes de San Esteban.

IGLESIA DE SANCTI SPIRITUS

Situada en la zona Sudeste de la ciudad, en la calle que lleva el mismo nombre que el templo, la iglesia de Sancti Spiritus fue fundada hacia finales del siglo XII y reconstruida totalmente en el XVI. En los primeros tiempos perteneció a los pobladores toresanos y posteriormente pasó a ser residencia monacal de las Comendadoras de Santiago. En la reconstrucción efectuada en el siglo XVI, inspirada por fray Martín de Santiago, participaron uno de los Hontañones y Rodrigo Gil.

La planta de la iglesia es gótica y aparece ornamentada con formas renacentistas propias de la época en que fue reconstruida.

Fue uno de los templos salmantinos más suntuosamente engalanados y de su pasado esplendor todavía conserva la soberbia fachada renacentista de influencia italiana, cuya portada es una de las más hermosas de Salamanca.

En el interior del templo sobresalen el artístico coro bajo, que ostenta una extraordinaria sillería gótica y un bello artesonado mudéjar, con puntos blancos sobre fondo azul; las esculturas y relieves del retablo, con magníficas tallas de la escuela vallisoletana; el *Cristo Majestad* que hay en la sacristía, obra del siglo XIII y varias sepulturas, entre ellas una de Don Martín Alfonso, hijo natural de Alfonso IX, que contrajo nupcias con Doña María Méndez, una de las primeras protectoras del templo de Sancti Spiritus.

CAMPO DE SAN FRANCISCO

Es uno de los parajes más sugestivos y evocadores de Salamanca y también uno de los más típicos y populares. Don Miguel de Unamuno, que vivió al lado del Campo de San Francisco, cuando todavía los álamos cubrían con su acogedora sombra su silencioso recinto, gustaba de contemplar desde allí el perfil de la ciudad. Desde este magnífico mirador que es el Campo de San Francisco se domina una bella y amplia perspectiva de Salamanca, poblada aquí y allá

Portada de la iglesia de Sancti Spiritus.

Artesonado mudéjar del coro de Sancti Spiritus.

con la presencia de sus monumentos más representativos. Unamuno resumió en sobrios y sentidos versos el perfil de la ciudad tan amada por él:

> «...*Bosque de piedras que arrancó la historia*
> *a las entrañas de la tierra madre,*
> *remanso de quietud, yo te bendigo,*
> *¡mi Salamanca!*

El Campo de San Francisco parece haberse apoderado amorosamente de una entrañable parcela del espíritu salmantino de la época del esplendor de la ciudad, cuando Salamanca era un faro de cultura y por sus calles se desparramaban, como en una copa colmada de vino añejo, coplas y saberes universitarios mezclados con amores y lances de capa y espada protagonizados por estudiantes de sangre apasionada, más tarde, al correr de los años, hombres ilustres.

Imagen de Cristo románico que se conserva en la iglesia de Sancti Spiritus.

Atravesando la plaza de la Fuente y enfilando la calle de Sorias, se llega al Campo de San Francisco, en cuyas proximidades se alzan varios monumentos salmantinos de singular relieve, tales como la iglesia de la Vera Cruz, la de las Ursulas —enfrente de aquélla, hacia la calle de Bordadores se ubica la antigua iglesia de Santa María de los Caballeros —actualmente de Adoratrices— y, muy cerca ya de la calle de Bordadores, se alza la fábrica de la célebre Casa de las Muertes, al lado de la cual vivió varios años don Miguel de Unamuno.

TORRE DEL AIRE

La graciosa Torre del Aire forma parte del antiguo Palacio de los Fermoselle. Su esbelta silueta se destaca acusadamente sobre el paisaje urbano que la rodea. De arquitectura italianizante, en la Torre del Aire destacan sus artísticas ventanas arqueadas y el fino labrado gótico de algunos aditamentos del siglo XV.
Se trata de uno de los monumentos salmantinos más característicos y populares.

El artístico coro gótico del templo de Sancti Spiritus.

El espléndido altar del templo de Sancti Spiritus.

PALACIO DE MONTERREY

Está situado en la calle de Bordadores, frente al convento y la iglesia de las Agustinas, cuya fundación se hizo a expensas precisamente de don Manuel de Fonseca y Zúñiga, séptimo conde de Monterrey y Virrey de Nápoles. El Palacio de Monterrey pertenece en la actualidad a la Casa de Alba.

Se trata de uno de los más importantes monumentos salmantinos y fue construido en 1539, interviniendo en la dirección de las obras Gil de Hontañón, Fray Martín de Santiago, Pedro de Ibarra y los Aguirre. El palacio se construyó a instancias de don Alonso de Acevedo, tercer Conde de Monterrey y la mansión, con sus airosas torres, es tan sólo uno de los ángulos del grandioso rectángulo que se proyectaba edificar. Los condes de Monterrey habían de desempeñar un importante papel en la política española durante largo tiempo. Así, en el siglo XVI, el citado don Manuel de Fonseca y Zúñiga, conde de Monterrey, estuvo casado con doña Leonor de Guzmán, hermana del Conde-Duque de Olivares. Este mismo conde, durante su estancia en Italia, al frente del Virreinato de Nápoles, mantuvo estrechas relaciones amistosas con José de Ribera, el gran pintor que hizo famoso el seudónimo de *El Españoleto,* autor de una bella *Purísima,* que, al parecer, don Manuel de Fonseca cedió a Salamanca cuando decidió fundar la iglesia de las Agustinas, y que hoy preside el soberbio retablo de las Agustinas que aparece rodeado de pinturas de Baglioni, Guido Reni y Lanfranco.

La fachada del palacio de Monterrey exhibe dos torreones en los ángulos y aparece totalmente coronado por una artística crestería plateresca. Son muy interesantes sus chimeneas y pilastras y el llamado «paseador de las damas». Los escudos y las figuras que los sostienen constituyen como una crónica en piedra de los ocho linajes que, hasta el siglo XVI, habían entroncado con el condado de Monterrey y que son los siguientes: Acevedo, Fonseca, Ulloa, Maldonado, Biedma, Zúñiga, Sotomayor y Castro.

Fachada del Palacio de Monterrey.

IGLESIA Y CONVENTO DE LAS AGUSTINAS

El edificio, en la actualidad Parroquia de la Purísima, fue construido bajo el patrocinio de don Manuel de Fonseca y Zúñiga. Se trata de un bello templo del siglo XVII, de marcada influencia italiana. En su interior se conservan pinturas de gran valor, entre las que destacan: una *Inmaculada Concepción* y un *San Jenaro* de Ribera.

Altar de la iglesia de las Agustinas, actual Parroquia de la Purísima.

IGLESIA DE SAN JULIAN Y SANTA BASILISA

Fundada el año 1107 por los toresanos, este templo —situado en la calle del Obispo Jarrín— todavía conserva vestigios de su originaria traza románica: la portada Norte, la torre y varios canecillos. Destacan en el interior de la iglesia el retablo churrigueresco —sobre el que está colocada una excelente *Inmaculada* de Antolín— y varias esculturas.

La Inmaculada Concepción, cuadro de José de Ribera que se conserva en la parroquia de la Purísima.

COLEGIO DE LOS IRLANDESES

Magnífico edificio renacentista situado en la calle de Fomento. Es del siglo XVI y fue mandado construir por el arzobispo don Alonso III de Fonseca, motivo por el cual se denomina también Colegio de Fonseca. Las obras fueron iniciadas el año 1527 y duraron cincuenta años, colaborando en ellas Hernán Pérez de Oliva —diseñador de la traza del edificio—, Diego de Siloé, Covarrubias y posiblemente Alonso Berruguete y Juan de Alava.

Se trata de uno de los monumentos más elegantes y característicos de Salamanca, promovido, como varios más, por uno de los Fonseca, el arzobispo de Toledo, que, al igual que su padre, fue un gran mecenas de la ciudad salmantina. La fachada plateresca es muy bella. Es obra de Alonso de Covarrubias.

En el interior de la iglesia —de estilo gótico de la época de los Reyes Católicos— destaca el excelente retablo del altar mayor (1529) de Alonso de Berruguete.

El patio, de armoniosas proporciones, es una de las más valiosas muestras del Renacimiento español. Fue proyectado por Diego de Siloé y ejecutado parcialmente por Pedro Ibarra. Son muy interesantes sus arcos, que ostentan artísticos medallones con cabezas de hombre y de mujer extraordinariamente talladas.

IGLESIA DE LA VERA CRUZ

Ubicada en la calle de Sorias, fue construida en el siglo XVI, aunque de esta época sólo se conserva la puerta principal, y reconstruida en el XVIII, de acuerdo con el gusto barroco. Destacan en el interior del templo el altar mayor —churrigueresco—, la *Purísima* —magnífica talla de Juna de Juni, policromada por Navarrete «el Mudo»—, un *San Benito* de Alonso Berruguete, el *San Juan Bautista* de Gregorio Hernández, el *San Miguel* de Francisco Gallego y la impresionante *Dolorosa* de Felipe del Corral.

El espléndido claustro del Colegio.

Sepulcro de Alfonso Fonseca.

IGLESIA Y CONVENTO DE SANTA URSULA

Este conjunto arquitectónico está situado en la calle de las Ursulas y recibe también el nombre de Convento de la Anunciación. El convento de Santa Ursula fue fundado el año 1512 por don Alfonso de Fonseca, patriarca de Alejandría. Forma parte de un sugestivo rincón salmantino, completado evocadoramente por la iglesia de la Vera Cruz.

Se trata de un magnífico monumento renacentista, posiblemente debido a Diego de Siloé. La iglesia consta de una espaciosa nave y un presbiterio poligonal. La fachada y toda la estructura exterior del convento es de gran belleza. La iglesia gótica ostenta un interesante torreón.

Sobresalen en el interior del templo la estatua yacente del fundador del convento colocada sobre su sepulcro —magnífica obra de Diego de Siloé—, la reja gótica y los artísticos artesonados de los coros.

En el convento hay un pequeño Museo que conserva interesantes piezas.

CONVENTO DE SANTA CLARA

Está situado en la calle del Lucero. La puerta principal es del siglo XV y da acceso a otra churrigueresca del siglo XVIII. En el interior del templo se pueden contemplar varias tallas de indudable valía artística.

Cerca del convento de Santa Clara, en la Plaza de San Cristóbal, está ubicada la iglesia románica del mismo nombre, en la actualidad Colegio de San José.

CASA DE LAS MUERTES

Se alza en la calle de Bordadores y es un edificio de hermosa y equilibrada estructura. Ostenta una magnífica fachada plateresca, decorada con medallones y otros artísticos aditamentos. La puerta está suntuosamente blasonada y muestra dos figuras exhibiendo reverencialmente un escudo con la efigie del Arzobispo Fonseca, Patriarca de Alejandría.

Perspectiva del interior del templo de las Ursulas.

Patio de la Casa de Santa Teresa.

En esta casa parece ser que vivió el célebre arquitecto Ibarra, protegido de Fonseca, por cuyo encargo realizó varias importantes obras en Salamanca. La Casa de las Muertes estuvo estrechamente vinculada al recuerdo de los Ibarra hasta 1805, año en que, en cumplimiento del Real Decreto de 19 de septiembre de 1798 disponiendo la venta de los bienes de la Iglesia, al popular edificio salmantino —que había recaído por donación en poder eclesiástico— fue vendida en pública subasta en propiedad privada.

Se trata de un monumento que, por sí solo, por su acusada personalidad arquitectónica, merecería sobradamente ser citado, aunque no estuviese rodeado como está por una sugestiva aureola de leyenda popular.

Al parecer, cuando fue reedificada la Casa de las

Panorámica de la iglesia de San Marcos.

*Crucero
situado en la
Puerta del
Río.*

Fachada del convento de las Dominicas.

Vista general de la Plaza de Santo Domingo.

Muertes, fueron encontrados cuatro cuerpos entre las peñas de los cimientos, dos de ellos descabezados, que pertenecían, según se dijo —y de acuerdo con una versión publicada en 1898 por el Licenciado Bolanegra—, a los hermanos Manzano que Doña María la Brava había hecho decapitar. Los otros dos, también según la leyenda, eran de una Manzano y un Monroy que se habían amado hacía mucho tiempo y eran miembros de dos familias salmantinas enconadamente enemigas a lo largo de todo el siglo XV. Una historia digna de ser inmortalizada por Shakespeare, al igual que hiciera con la protagonizada por los Capuletos y Montescos en su drama *Romeo y Julieta*.

Otra leyenda independiente de la relacionada con los Manzano y los Monroy hace referencia al hecho de que en el sótano de la Casa de las Muertes fue asesinada la familia de un sacerdote.

Imagen de la Virgen de la Vega.

Según algunos estudiosos del interesante tema salmantino, el origen del nombre de la Casa de las Muertes proviene de unos cráneos tallados debajo de las ventanas, decoración muy utilizada por los artistas de la época plateresca.

CASA DE SANTA TERESA

Ubicada en la Plaza de Santa Teresa, el edificio de la Casa de los Ovalle constituye un interesante hito teresiano. Aquí, en esta casa también llamada de Santa Teresa —que data de la misma época que la Casa de Doña María la Brava— pasó su primera noche fundacional la Santa de Avila, en compañía de Sor María del Sacramento, cuando llegó a Salamanca el año 1570. Fue aquí, en esta noble mansión salmantina, donde Santa Teresa estuvo en éxtasis el año 1571. También fue en esta casa que lleva hoy su nombre donde la autora de *Las Moradas* escribió más de una obra suya. La habitación que ocupó Santa Teresa es en la actualidad capilla de las Siervas de San José, que son las que hoy rigen la casa.

La labor fundacional de Santa Teresa no se limitó a la capital salmantina, sino que se extendió asimismo a Alba de Tormes, población donde fundó una institución religiosa de importancia. Las andanzas de Santa Teresa por tierras salmantinas fueron constantes. Su paso desde Salamanca a Alba de Tormes lo conmemora hoy una fuente existente en el camino que enlaza ambas localidades. Santa Teresa fundó en la villa ducal de Alba de Tormes, a instancias de sus parientes los Ovalle Ahumada, un convento, siendo ayudada por los Duques de Alba. Es precisamente en este convento donde Santa Teresa moriría el 4 de octubre de 1582. Los restos de la Santa —una de las voces más profundas y emocionantes de la poesía mística del Siglo de Oro español— reposan en el interior de la iglesia de este convento teresiano de Alba de Tormes. Ocupan en el retablo mayor del templo albense una arqueta que fue donada por Isabel Clara Eugenia, hija de Felipe II. En el altar se conservan el corazón y un brazo de Santa Teresa.

El popular Rincón del Corrillo, con el ayuntamiento al fondo.

Es asimismo interesante la habitación del convento teresiano de Alba de Tormes en que murió la fundadora, así como el lugar en que descansó su cadáver antes de ser trasladado al punto en que actualmente se encuentra.

IGLESIA DE SAN MARCOS

Fundada en el siglo XII y designada Capilla Real por Alfonso IX en 1202, este interesante ejemplar de iglesia románica circular ofrece la particularidad de que el interior es de tres naves rematadas en tres ábsides semicirculares. El pórtico y la espadaña son de estilo barroco.

En el interior de la iglesia de San Marcos ofrecen especial interés las cubiertas mudéjares, la techumbre con paño morisco del crucero y las pinturas murales. Este templo está situado al final de la calle de Zamora, donde antiguamente estaba la puerta que llevaba esta denominación. Está cerca del Paseo de los Carmelitas y del Convento del Corpus Christi.

IGLESIA DE SAN JUAN DE BARBALOS

Ubicada en la calle del Horno —no lejos del emplazamiento de la iglesia de San Marcos—, la iglesia de San Juan de Barbalos exhibe un bello ábside románico. En el interior del templo merecen especial mención el retablo churrigueresco, una imagen de la *Virgen de las cerezas* y otra de la *Virgen del Rosario*.

SANTA MARIA DE LA VEGA

Templo del siglo XVI —posteriormente restaurado— Santa María de la Vega conserva un artístico claustro románico del siglo XII, con capiteles que exhiben una interesante decoración.

TORO Y PUENTE ROMANO

Desde el emplazamiento del Puente Romano se contempla una hermosa vista sobre el Tormes, río que va

La puerta románica de la iglesia de San Martín, vista desde el Rincón del Corrillo.

*Casa de Unamuno, calle de Bordadores, calle de la ·
Compañía y calle de las Ursulas.*

Monumento a Miguel de Unamuno.

estrechamente vinculado a la historia y al paisaje que circunda Salamanca. El puente fue construido posiblemente en tiempos de Trajano y formaba parte de la calzada romana de la Plata que unía Astorga con Mérida. Los quince arcos del puente que da a la ciudad son de genuina factura romana, en tanto que los restantes han experimentado posteriores restauraciones.

A la entrada Norte del Puente Romano hay un interesante toro ibérico, que aparece citado por el anónimo autor de *El Lazarillo de Tormes*. Este verraco forma actualmente parte del escudo de Salamanca.

EL TORMES

El Tormes y el Puente Romano constituyen dos hitos inseparables que ensamblan armónicamente espacio y tiempo, geografía e historia, en el emblema genealógico del perfil de Salamanca. Las riberas del Tormes son para la ciudad como una especie de bucólica llamada. Así lo entendió Fray Luis de León, que acudió a la grata llamada y cuidó su entrañable huerto, «La Flecha», que todavía hoy existe, «ribera arriba del Tormes», «un poco lejos», pero que, según el poeta Santos Torroella, todavía «sigue siendo, enriquecido ahora con la sombra de Fray Luis, el mismo lugar apacible, con la misma fontana pura de donde brotaron «Los nombres de Cristo» y la oda «Qué descansada vida...» Bastaría con ello para que se hiciera de este paraje uno de los fervorosos santuarios de nuestra Poesía». Es, desde luego, «La Flecha» un rincón idílico, donde reinan la paz y el silencio, enmarcados por un ilustre paisaje de paradisíaca belleza.

El propio Fray Luis describió el sosegado paisaje de las riberas del río con singular precisión y emocionada sensibilidad. «Es la huerta grande —escribe el gran poeta español—, y estava entonces bien poblada de árboles, aunque puestos sin orden; mas esso mismo hazia deleite en la vista, y sobre todo, la hora y la sazón. Pues entrados en ella, primero, y por un espacio pequeño, se anduvieron paseando y gozando del frescor, y después se sentaron juntos, a la sombra

Monumento al Lazarillo de Tormes.

Fuente de la Plaza del Ejército.

Perspectiva del Campo de San Francisco.

Parque de la
Alamedilla —un
remanso de paz en la
ciudad— y
Monumento que se
alza frente a la Plaza
de Toros como
homenaje al verdadero
protagonista de la
llamada Fiesta
Nacional.

de unas parras y junto a la corriente de una pequeña fuente, en ciertos assientos. Nasce la fuente de la cuesta que tiene la casa a espaldas, y entrava en la huerta por aquella parte, y corriendo y estropeçando, parecía reirse. Tenían también delante de los ojos y cerca dellos una alta y hermosa alameda. Y más adelante, y no muy lexos, se ve ya el río Tormes, que aun en aquel tiempo, hichiendo bien sus riberas, iva torciendo el passo por aquella vega. El dia era sossegado y purísimo, y la hora, muy fresca.»

Es imposible describir con mayor eficacia y sencillez los deliciosos parajes que se extienden por las riberas del Tormes. Todo el sutil encanto del paisaje queda prendido en la delicada prosa de Fray Luis de León. En unos terrenos situados en la orilla derecha del Tormes fueron encontrados importantes vestigios prehistóricos. Parece ser que por esta zona del río llegaron los celtas. Ellos fueron los que legaron a la posteridad salmantina el toro ibérico que figura al lado del Puente Romano y en el escudo de la ciudad.

Vista panorámica de Salamanca desde Reparadores.

Vista parcial de la ciudad, con el Tormes en primer término.

EL CAMPO SALMANTINO

El campo salmantino, o charro, regado por las aguas del Tormes, aparece compuesto por una sucesión de prados y arboledas —con predominio de los nobles y recios encinares—, formando lo que se conoce por la denominación de *charrería,* que se extiende de sur a oeste de la provincia. El eje del campo charro viene a ser la carretera N-620 a Portugal. Se trata de tierras en las que abundan las dehesas y donde aparecen, aquí y allá, pequeñas plazas de toros. Porque ésta es tierra donde se cría el bravo toro que ha de ser lidiado en las plazas de España de más tronío.

En la zona templada de las vegas de Hinojosa y Fre-jeneda se cultivan el almendro, el naranjo y el limonero. Como contraste, en las cumbres de la sierra de Gredos está siempre presente la nieve. Esta diversidad de clima que caracteriza las tierras salmantinas origina, como es natural, también una diversidad de costumbres. Hasta los giros idiomáticos difieren de unas comarcas a otras. La vida de las gentes del campo charro es asimismo muy variada y su pintoresquismo muy complejo y sugestivo.

Hacia el norte y el este de la ciudad, se extiende La Armuña, tierra seca, rica en cereales, que contrasta paisajísticamente por su reciedumbre con el verdor característico de la charrería, con sus jugosos praderíos y sus umbrosas dehesas.

Jóvenes salmantinas luciendo trajes típicos.

FOLKLORE

Salamanca cuenta con uno de los folklores más ricos y sugestivos de la Península. Reviste particular importancia la celebración de la Semana Santa salmantina, cuyos festejos constituyen un espectáculo plástico lleno de colorido y entre los que cabe destacar el brillante desfile de las cofradías, la liturgia especial que singulariza la celebración de la solemnidad en la capilla de la Universidad, la música sacra y las interesantes exposiciones religiosas.

Otras fiestas populares a destacar son la de San Juan de Sahagún, los Festivales de España — teatro, ballet, ópera, zarzuela, música sinfónica— que tienen por marco insuperable el vasto espacio de la hermosa Plaza Mayor de Salamanca, los Carnavales de Ciudad Rodrigo, la representación del auto sacramental —o «loa»— que se celebra en el curso de los festejos de la Asunción —15 y 16 de agosto— en La Alberca y las animadas ferias y fiestas que tienen lugar del 8 al 21 de septiembre, tales como corridas de toros, desfile de carrozas, exhibición de grupos folklóricos y que alcanzan su máximo esplendor el Día de la Provincia. Entre los cantos característicos del campo salmantino, destacan las *tonadas*, los *fandangos*, las *rondas*, los *cantos de boda* y los *cantos de Pasión*.

Por lo que respecta a los bailes salmantinos, cuyo ritmo se marca con un pandero, los más populares son el *asentao* —de movimientos lentos, pero los pies moviéndose con vivacidad—, el *fandango*, la *jota*, las *charradas* y los *boleros*.

Llaman la atención la variada y pintoresca riqueza ornamental de los diversos trajes típicos salmantinos, de modo muy especial la fastuosidad realmente deslumbrante de los atavíos femeninos. El famoso traje charro, de viril empaque en el varón, recuerda en la mujer el señorial atavío de la célebre Dama de Elche. Presenta no menos de seis variedades: la central o charra, la del llano o armuñesa, la serrana de la Peña de Francia, la serrana de Gredos o de Candelario, la de la Ribera y la del Rebollar. Todos estos trajes populares resultan sugestivamente pintorescos.

Poético contraluz en las cercanías de Salamanca.

Típicos pasteles salmantinos.

ARTESANIA

El arte popular está muy difundido dentro de toda la provincia de Salamanca. Son muy interesantes los trabajos de artesanía en piel, madera, hueso, tejido, metal y mimbre, así como los bordados salmantinos, muy apreciados.

GASTRONOMIA

Ni que decir tiene que la fama que goza Salamanca de ser tierra de buen comer y buen beber está plenamente justificada. Siendo como es capital de una rica provincia ganadera y agrícola, el abastecimiento de la ciudad es abundante y variado. Salamanca cuenta con las mejores carnes y las más finas verduras. Tiene también a mano los excelentes caldos de la Ribera y los buenos vinos de la vecina Zamora. Las especialidades gastronómicas salmantinas son de una probada solidez y en ellas están presentes el jamón, las morcillas y el chorizo, famoso por su calidad.

Entre los platos que suelen ilustrar y enriquecer la buena mesa salmantina, descuellan la *chanfaina,* en cuya elaboración entran el arroz, los menudillos de ave, la carne de cordero y el chorizo; los huevos fritos con *farinato* —típico embutido salmantino— al estilo de Ciudad Rodrigo; el asado de cochinillo o de cabrito a lo Peñaranda de Bracamonte; el *hornazo,* suculenta empanada hecha esencialmente con jamón y embutidos; el convincente *calderillo* de Béjar, guiso a base de carne y patatas, que se hace a fuego lento en la típica caldera; el *picadillo de Tejares,* en el que colaboran la carne picada, los huevos y el pimentón rojo levemente picante; las exquisitas anguilas con poleos o los jamones y embutidos de Guijuelo. De postre son aconsejables los quesos de Hinojosa, el arrope albercano, el bollo maimón, los típicos *chochos* o las almendras garrapiñadas.

Tanto en la capital como en las distintas localidades de la provincia abundan los restaurantes y mesones con reputada cocina, donde se pueden comer las suculentas especialidades salmantinas.

Los populares «chochos», postre tradicional de Salamanca.

Tres aspectos que reflejan el potencial ganadero salmantino.

Perspectiva de la Plaza de Calvo Sotelo de Peñaranda de Bracamonte.

Iglesia de San Miguel de Peñaranda de Bracamonte.

PEÑARANDA DE BRACAMONTE

Localidad situada a 41 km de Salamanca, se encuentra en un extremo —el otro es la propia capital de la provincia— de la llamada *ruta teresiana,* de la que forman parte también Alba de Tormes, Santiago de Puebla y Macotera.

Peñaranda de Bracamonte es una típica población salmantina. Es interesante la parte antigua, con sus evocadores soportales.

Los centros urbanos más importantes son la Plaza Mayor, la de Calvo Sotelo, la de la Iglesia —donde se alza el templo parroquial, profundamente restaurada tras haber sufrido los estragos de un voraz incendio— y la Nueva, completamente rehecha después de haber sido destruida en 1939 por la explosión de un polvorín.

En Peñaranda de Bracamonte se comen el cochinillo y el cabrito mejor asados de toda la provincia.

ALBA DE TORMES

Es la antigua *Alvia* de los vacceos y está situada a veintidós kilómetros de Salamanca por la carretera de Avila a Madrid y a veinticuatro por ferrocarril. Alba de Tormes perteneció en el siglo XV a los duques de Alba. Es cabeza de partido y está enclavada en una hermosa y feraz vega.

«Hoy —dice Santos Torroella— conserva todavía monumentos notables, pero no es sino un pálido reflejo de lo que fue antaño, cuando en ella tenían los duques su corte residencial y cuando Garcilaso y Lope de Vega la cantaron en hermosos versos, como aquellos del Fénix:

> *Famosos muros de Alba,*
> *adonde hiere el sol cuando en la suya*
> *le hacen dulce salva*
> *las aves de la dulce selva tuya...*

Alba de Tormes desempeñó un importante papel en el devenir de Santa Teresa. En la histórica población salmantina fundó la mística —con la protección de los duques de Alba— un convento teresiano y en ella entregó su alma a Dios. Don Miguel de Cervantes, en la canción titulada *Los éxtasis de la Beata Madre Teresa de Jesús,* alude explícitamente a la estrecha vinculación entre Alba de Tormes y la autora de *Las Moradas:*

> *Aunque naciste en Avila, se puede*

decir que en Alba fue donde naciste;
pues allí nace donde muere el justo.
Desde Alba, ¡oh madre!, al cielo te fuiste;
Alba pura, hermosa, a quien sucede
el claro día del inmenso justo...

Alba de Tormes se extiende con el río a sus pies, sobre el que cabalga el evocador puente medieval, uno de cuyos veintidós arcos recibe la denominación de «ojo de los siete hermanos», nombre, al parecer, derivado de que en este punto del río y bajo este arco del puente se ahogaron siete personas, una tras otra, «en busca de un barbo».

La población se divisa desde el río como una postal romántica. Otra perspectiva entrañable de Alba de Tormes es la que se domina desde la torre del homenaje que se conserva del antiguo castillo. En esta torre se conservan todavía las pinturas al fresco —siglo XVI— que decoran sus paredes representando batallas y alegorías diversas.

Vista parcial de Alba de Tormes, con el río pasando a sus pies.

Casa de Santa Teresa en Alba de Tormes.

Los duques de Alba tuvieron aquí antaño un hermoso palacio-fortaleza, que fue destruido por los franceses en el curso de la Guerra de la Independencia. Tan sólo se conservan restos de las murallas que rodeaban el castillo.

Entre los monumentos de Alba de Tormes que permanecen en pie, destacan la iglesia de San Juan, fundada hacia el siglo XII y reconstruida en el XVIII, con una puerta y un ábside románicos, un Cristo atado a la columna —cuya pintura en tabla se atribuye a Morales—, algunas efigies religiosas del siglo XII, un retablo churrigueresco en el altar mayor y varias sepulturas del XVI; la iglesia de San Miguel —también denominada «de la Cruz»—, con su nave lateral del siglo XIII, sus bóvedas reconstruidas en el XVII, el magnífico sepulcro gótico —en el que destacan los soberbios relieves de la Piedad— y otras sepulturas con estatuas yacentes de los siglos XIII, XIV y XV; la iglesia de San Pedro —destruida a consecuencia de un incendio y restaurada en los inicios del siglo XVI, en cuyo interior se conservan varios óleos y esculturas interesantes; la iglesia de Santiago, con su elegante artesonado mudéjar, su bóveda románica de cañón en el ábside y sus sepulturas y retablo del siglo XVI; el convento de Santa Isabel, con su iglesia de artístico artesonado mudéjar; y el convento de las Benitas.

Párrafo aparte merece el antiguo monasterio de Carmelitas, en el que se conserva el cuerpo de Santa Teresa. Este monasterio es uno de los centros de peregrinación más populares de España. Aparte del cuerpo de la Santa, guardado en el centro del altar, se veneran también su corazón y uno de sus brazos, conservados en relicarios especiales dentro de una urna de mármol negro. Además de la elegante portada renacentista del templo, son interesantes las pinturas de Francisco Ricci, las de González de la Vega y la de Filipart, así como varios sepulcros exornados con esculturas y relieves.

Alba de Tormes, con su riqueza arquitectónica y su ilustre trayectoria histórica, es una de las poblaciones con más atractivo turístico de toda la provincia de Salamanca.

Basílica de Alba de Tormes.

Castillo de los Duques de Alba.

Altar del templo de la Encarnación, en Alba de Tormes.

Fachada de la iglesia de la Encarnación.

Vista parcial de Béjar, con la montaña cubierta de nieve al fondo.

BEJAR

Villa de rancio abolengo y actualmente centro industrial de considerable importancia —sus telas y paños gozan de justa nombradía—, Béjar aparece rodeada de un paisaje realmente maravilloso. La población se inserta en la vertiente Norte de la sierra que lleva su nombre, a unos 900 metros de altura sobre el nivel del mar.

Béjar existía ya en los tiempos de la dominación romana y sufrió posteriormente la musulmana, a lo largo de la cual fueron construidas las murallas y la alcazaba, hoy convertida en palacio de los Duques, a uno de los cuales dedicó Miguel de Cervantes la primera parte de su inmortal *Don Quijote de la Mancha:*

En fe del buen acogimiento y honra que hace vuestra excelencia a toda suerte de libros, como príncipe tan inclinado a favorecer las buenas artes, mayormente las que por su nobleza no se abaten al servicio y granjerías del vulgo...

Reconquistada Béjar por los cristianos, Alfonso VIII de Castilla concedió a la villa el Fuero de Béjar en 1211. El año 1304, Alfonso de la Cerda obtuvo el señorío de Béjar como compensación a su renuncia a los derechos al trono. Fernando IV reintegró posteriormente el señorío a la corona, pero Enrique III se lo otorgó más tarde a Don Diego López de Zúñiga. Béjar exhibe una extraordinaria riqueza monumental. Su monumento más importante es el Palacio Ducal —declarado Monumento Nacional—, que experimentó diversas reformas. Su fachada principal mide 68 metros y de su antigua fábrica se conservan dos sólidas torres —la de San Andrés y la de Las

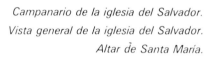

Campanario de la iglesia del Salvador.
Vista general de la iglesia del Salvador.
Altar de Santa María.

Cadenas—, que le prestan al edificio un aspecto de antigua fortaleza. El espléndido patio renacentista es de mediados del siglo XVI y exhibe una doble arquería con blasones de las Casas de Béjar y del Infantado. En el Castillo-Palacio de los Duques se conservan valiosas colecciones de arte y de armas.

Otros monumentos interesantes de Béjar son las iglesias de Santa María —siglo XIII, con fábrica de ladrillos, en cuyo interior se conservan una valiosa Virgen de las Angustias, atribuida a Carmona, y otras obras—, la de San Juan —gótica—, la del Salvador —siglo XVI—, la de Santiago y la de Nuestra Señora de las Huertas, así como la ermita románica de la Antigua y el edificio renacentista del Ayuntamiento.

Béjar, que se alza sobre una roca colosal, conserva todavía el aspecto de una plaza fuerte. La población está situada a 70 kilómetros de Salamanca por carretera y a 87 por ferrocarril.

La villa es un importante centro veraniego, desde el que se pueden hacer numerosas e interesantes excursiones por toda la provincia de Salamanca, especialmente al próximo valle de Batuecas, a La Alberca, a Candelario e incluso a la comarca extremeña de las Hurdes.

Los alrededores de Béjar son muy hermosos y su umbroso bosque está declarado Paraje Pintoresco. Se trata, sin duda alguna, de una de las poblaciones de la provincia de Salamanca con más incentivo turístico y rodeada de bellezas naturales de primer orden.

Panorámica de la Ermita de los Pinos.

Magnífico primer plano del impresionante «Tranco del
Diablo», paraje de selvática y majestuosa belleza.

Sugestiva panorámica de la fantástica Laguna del Trampal y primer plano del nevado pico de El Galvitero, en plena sierra de Gredos.

*Bella perspectiva de la Ermita El Humilladero, en
Candelario.*

CANDELARIO

Pintoresca población situada a 4 kilómetros de Béjar,
que aparece rodeada de un paradisíaco paisaje abundante en tupidas arboledas y jugosos prados. Las
casas de piedra de Candelario se encaraman por unas
calles serpenteantes y empinadas, por las que se lan-
zan las aguas de los arroyos que se forman con el
deshielo de la nieve de la sierra.

Además de las típicas casas de Candelario —de
vastos corredores y tejados voladizos, que configuran
una estampa urbana de singular pintoresquismo—,
cabe destacar el tipismo del traje femenino tradicional
de esta comarca que conjuga su elegante sencillez de
líneas con el original peinado de «picaporte».

LA ALBERCA Y EL SANTUARIO DE LA PEÑA DE FRANCIA

La Alberca es otro de los originales y pintorescos
pueblos salmantinos. Aparece rodeada por un paisaje
serrano, esmaltado de robledales y bosques de
nogales y castaños y una amena sucesión de prados.
La Alberca ha sabido conservar su carácter y sus
costumbres tradicionales y ha llegado a convertirse en
anhelada meta de gran número de pintores que
plasman en sus obras el entrañable perfil del pueblo y
la belleza de sus contornos.

A unos 18 kilómetros de La Alberca, se alza, a 1.725
metros de altura sobre el nivel del mar, el famoso Santuario de la Peña de Francia.

La reciedumbre de la Sierra de Peña de Francia ofrece paisajes como éste que se domina desde el Paso de los Lobos.

El Santuario de Nuestra Señora de Peña de Francia, visto desde el Campo de San Andrés.

Camarín del Santuario de Nuestra Señora de Peña de Francia.

Imagen de Nuestra Señora de Peña de Francia.

CIUDAD RODRIGO

Antigua ciudad plaza fuerte y sede episcopal, Ciudad Rodrigo está situada a 33 km de la frontera portuguesa (Fuentes de Oñoro-Vilar Formoso) y a 89 km de Salamanca por carretera y 92 por ferrocarril. Según parece, su actual emplazamiento es el de la *Miróbriga* de los vetones y la *Augustobriga* de la época romana. El nombre actual proviene de haber conquistado la villa el conde don Rodrigo González Girón. Fue repoblada bajo el reinado de Alfonso VI y todavía conserva mucho del señorial empaque que caracterizó su devenir a lo largo de los siglos XV y XVI. Reconquistada a los árabes en el siglo XII, fue reconstruida y convertida en sede episcopal.

Se trata de una ciudad que conserva en gran medida su acusado carácter medieval y propicia, por lo tanto, a la evocación histórica. Hay tres columnas romanas en el blasón de Ciudad Rodrigo, cuyo significado aparece sintetizado en los siguientes versos:

> *Ciubdá-Rodrigo, en sennal*
> *de sus onrosas fortunas*
> *se zifra en tres colunas*
> *d'antigua, noble y leal.*

De Ciudad Rodrigo fueron numerosos personajes ilustres, entre los que cabe destacar a Francisco de

Las tres columnas romanas, que figuran en el escudo de Ciudad Rodrigo.

Montejo, conquistador de la Península del Yucatán y Cozumel; el poeta Cristóbal de Castillejo, defensor de la métrica tradicional castellana contra la moda de influencia italiana impuesta por Garcilaso y Boscán; y Feliciano de Silva, autor de la segunda *Celestina* y de las novelas de caballerías *Lisuarte* y *Don Florisel de Niquea,* criticadas con su peculiar donaire por Cervantes en su *Quijote.*

Ciudad para —como dice el poeta Rafael Santos Torroella— ser «paseada sin prisas, por sus plazas y callejas de rancio sabor o por el circuito de sus murallas, éstas formando un cinturón que la ciñe por completo —fuera de ellas, el crecimiento de la población dio lugar a varios arrabales—, con fosos,

contrafosos y muros en los que existe algún trozo romano, parte del siglo XII y todo lo demás del XVIII. Este cinturón de piedras da realce a la ciudad, y en su recorrido hay que asomarse a los espléndidos paisajes que la rodean, en particular el que se ofrece desde el mirador sobre el río Agueda, con su puente de piedra coetáneo del severo alcázar medieval que se yergue en esta parte de la muralla y que fue mandado construir por el rey don Enrique de Trastámara».

Constituye un placer visual deambular demoradamente por las empinadas calles y recoletas plazas de Ciudad Rodrigo. El perfil urbano del recinto amurallado conserva ese inconfundible sabor que la historia confiere con su paso a las ciudades.

Fachada del Palacio del Duque de Cartago.

Desde el antiguo alcázar, donde en la actualidad existe un magnífico Parador Nacional, se dominan espléndidas perspectivas, ya que Ciudad Rodrigo está situada sobre los lomos de una elevada colina, a orillas del Agueda.

La riqueza monumental de la ciudad es realmente extraordinaria. Los monumentos más interesantes son las murallas y la catedral. Las murallas fueron construidas, según parece, bajo el reinado de Fernando II, bajo la dirección del arquitecto gallego Juan de Cabrera. Forman una especie de óvalo irregular que se extiende alrededor de unos 2.250 metros. Los muros presentan almenas formadas de cal y canto, con una altura de unos 13 metros y un espesor de 2,10. Varios torreones flanquean los muros. Las puertas fueron reconstruidas en varias ocasiones y, en tiempos de Felipe V, fue rebajada la altura de las murallas a 7,55 metros, siendo de nuevo reformadas el año 1710. Convertidas actualmente en un bello paseo que circunda toda la ciudad, constituyen un espléndido mirador desde el que se contemplan hermosas panorámicas.

La catedral es una encrucijada de estilos: el románico, el gótico y el plateresco. Fue fundada a mediados del siglo XII. El fundador, Fernando II, le otorgó privilegio el 17 de julio de 1165. La planta del templo consta de tres naves, crucero y tres ábsides. El edificio se empezó a construir a finales del XII y fue terminado en el XIV, adquiriendo las obras un vigoroso ritmo a lo largo de todo el XIII. El claustro fue concluido en el XVI y tomaron parte en su construcción Benito Sánchez y Pedro de Güemes. La artística capilla mayor es obra de Rodrigo Gil de Hontañón y la magnífica sillería del coro de Rodrigo Alemán. Destacan también en el interior de la catedral el altar de alabastro de Luis Mitata y varias sepulturas de gran valor artístico. En el exterior llaman poderosamente la atención la soberbia portada principal, denominada de la Virgen, que exhibe una valiosa decoración escultórica del siglo XIII, y las también puertas románicas de Amejuelas y las Cadenas.

Fachada del Palacio del Conde de Montarco.

Puerta del Perdón de la Catedral de Ciudad Rodrigo.

Fachada de la iglesia-catedral de Ciudad Rodrigo.

Otros monumentos interesantes de Ciudad Rodrigo son la iglesia de San Pedro, del siglo XII y restaurada en el XVI, con su bella portada románica y su gracioso ábside de ladrillo, estilo mudéjar; la iglesia de San Andrés, que conserva dos hermosas portadas románicas; la iglesia y convento de las Clarisas, obra de Rodrigo Gil de Hontañón; la capilla de Cerralbo, de influencia italiana; el convento de San Francisco, cuya fundación se atribuye al propio Santo de Asís y de cuya fábrica sólo quedan las ruinas; el convento de San Agustín, fundado a finales del siglo XV por Francisco de Chaves, con su iglesia del XVI; el Hospital de la Pasión, siglo XVI, en cuya capilla se exhibe un artístico *Calvario* del mismo siglo e influencia italiana; la Casa de la Colada, con valiosos adornos

platerescos y una cadena tallada en piedra, cuyo símbolo significa que la casa poseía derecho de asilo; la Casa del Príncipe, que perteneció a don Iñigo de Mendoza, Príncipe Mélito, en cuya capilla se guarda un excelente *Calvario,* obra de Juan de Juni; la Casa Consistorial, siglo XVI, posteriormente restaurada, en la que destaca el original pórtico con arcos sustentados por columnas de dos pisos; y los palacios del Aguila, de Montarco, del Cañón, de los Altares y de los Castros.

Ciudad Rodrigo, por su historia, por su extraordinaria riqueza monumental y por su privilegiada situación a escasos kilómetros de la frontera con Portugal, es una de las ciudades de más acusado interés turístico de la provincia de Salamanca.

Puente romano, visto desde el castillo.

Parador Nacional
Enrique II.

Panorámica de Ciudad
Rodrigo, con el río y el
puente en primer término
y el castillo al fondo.

Fachada del Ayunta-miento de Ciudad Rodrigo.

Fachada de la parroquia de la Asunción de Fuentes de Oñoro.

*Bello contraluz, con el añoso perfil de Salamanca
recortándose sobre el espejo del Tormes.*

EPILOGO

Si Salamanca es una de las ciudades con más acusada personalidad histórica y monumental de la Península, las poblaciones y tierras que configuran su provincia constituyen un conjunto de tanto interés humano como importancia geográfica. Salamanca, la capital, ciudad culta por excelencia, donde la Universidad adquirió muy pronto carta de naturaleza y se identificó en seguida con el talante urbano, enriqueciéndolo, potenciándolo espiritualmente, ofrece la maravilla de sus monumentos, hechos con esa mágica piedra dorada de Villamayor, sorprendiendo y cautivando la mirada desde cualquier punto de su ilustre y singular geografía urbana. El Tormes, cuyas aguas embridan las venerables piedras del Puente Romano, saluda a la ciudad a su paso por Salamanca. Ese mismo Tormes discurre también a los pies de Alba, la famosa villa teresiana, a la que el río presta la segunda parte de su nombre. El hermoso y ubérrimo campo salmantino se abre camino a lo largo y a lo ancho de la provincia. Y surgen poblaciones de la importancia de Ciudad Rodrigo o Béjar o del cautivante encanto de Peñaranda de Bracamonte, La Alberca, Candelario, Ledesma, Sequeros, Vitigudino o Fuentes de Oñoro o comarcas de incomparable belleza paisajística como Las Batuecas o sierras de recio perfil como la de la Peña de Francia...

Indice

Texto, fotografías, diseño y reproducción: EDITORIAL ESCUDO DE ORO, S.A.
Reservados los derechos de reproducción y traducción, totales o parciales.
Copyright de la presente edición sobre fotografías y texto literario: © EDITORIAL ESCUDO DE ORO, S.A. -
9.ª Edición, Enero 1992 - I.S.B.N. 84-378-0379-9 - Dep. Legal B. 2236-1992

Impreso en la C.E.E.
FISA - Escudo de Oro, S.A.